Este libro pertenece a

_____

Este es un libro Parragon Publishing
Primera edición en 2006
Parragon
Queen Street House
4 Queen Street
Bath BA1 1HE, UK
ISBN 1-40547-683-4
Hecho en China

Winnie Pooh
y el día borrascoso

p

Winnie Pooh vivía con sus amigos en el Bosque de los Cien Acres. Un día muy borrascoso, cuando el viento decidió revolverlo todo, Pooh fue a visitar su "lugar para pensar".

Winnie the Pooh, or "Pooh" for short, lived with his friends in the Hundred-Acre Wood. One very blustery day, when the winds decided to stir things up, Pooh went to visit his thinking spot.

Mientras Pooh estaba sentado allí, tratando de pensar, apareció su amigo Topo. "Oye Pooh, si yo fuera tú, pensaría en largarme de aquí. ¿No sabes que hoy es viéntoles?"

A Pooh eso le pareció muy divertido. "Entonces creo que voy a desearle a todo el mundo feliz viéntoles, y empezaré con mi querido amigo, Piglet", dijo.

As Pooh sat there, trying hard to think of something, up popped his friend Gopher. "Say, Pooh, if I were you, I'd think about skedaddlin' out of here. It's Windsday, see?"

Pooh thought that sounded like a lot of fun. "Then I think I shall wish everyone a happy Windsday, and I will begin with my dear friend, Piglet."

El viento soplaba muy fuerte cuando Pooh se acercó a la casa de Piglet. "Feliz viéntoles, Piglet. Veo que estás barriendo las hojas."

"Sí, Pooh. Pero es difícil. Este viento no me ayuda nada." Justo entonces, una fuerte ráfaga lanzó al pequeño Piglet por los aires. Pooh observó sorprendido. "¿Qué estás haciendo, Piglet?"

"No lo sé, Pooh. ¡Ay, amigo!", exclamó el puerquito asustado.

¡Pooh trató de ayudar, pero cuando agarró la bufanda de Piglet, ésta comenzó a deshacerse!

The wind was blowing very hard as Pooh got to Piglet's house. "Happy Windsday, Piglet. I see you're sweeping leaves."

"Yes, Pooh. But it's hard. This is a very unfriendly wind."

Just then, a big gust blew Piglet up into the air. Pooh watched in surprise. "Where are you going, Piglet?"

"I don't know, Pooh. Oh, dear!"

Pooh tried to help, but when he grabbed Piglet's sweater, it began to unravel!

El viento fuerte hizo volar a Piglet como si fuera una cometa sobre el campo, arrastrando a Pooh detrás. Los dos pasaron por la casa de Igor y por el huerto de Conejo.

Piglet flew like a kite over the countryside, with Pooh dragging behind. The two went right through Eeyore's house and Rabbit's carrot patch.

Luego, con la ráfaga más borrascosa y fuerte de todas, Piglet y Pooh fueron lanzados hacia arriba, a la casa de Búho en un árbol muy alto.

"¡Pooh! ¡Piglet! ¡Qué sorpresa tan especial! Casi nadie viene a visitarme aquí arriba. Pasen." Búho abrió la ventana y Pooh y Piglet entraron volando.

———

Then, with the blusteriest, gustiest gust of all, Piglet and Pooh were blown right up to Owl's house in a tall tree.

"Pooh! Piglet! This is a special treat! I so rarely get visitors up here. Do come in." Owl opened his window and in blew Pooh and Piglet.

El viento soplaba tan, pero tan fuerte, que en un momento derribó el árbol de Búho y su casa cayó al suelo. Todos los habitantes del Bosque de los Cien Acres acudieron a ayudar a Búho, pero sólo el melancólico Igor parecía saber qué debían hacer. "Si quieren saber lo que pienso, aunque nadie quiere, les diré que cuando una casa queda como ésta, es hora de buscar otra. Es un trabajo ingrato, pero yo encontraré un nuevo hogar para Búho", dijo el burrito.

Y se alejó lentamente.

The wind blew harder and harder until finally Owl's tree, along with his house, crashed to the ground. Everyone from the Hundred-Acre Wood came to help Owl, but only gloomy old Eeyore seemed to know what to do. "If you ask me, and nobody has, I say when a house looks like that, it's time to find another one. A thankless job, but I'll find a new one for him."

And off he plodded.

Finalmente, el día borrascoso dio paso a una noche borrascosa.

Para Pooh fue una noche desagradable, llena de ruidos desagradables. Uno de esos ruidos era un sonido que no había escuchado nunca."Gr-r-r-rol".

Pooh se levantó y fue a la puerta a investigar. "¿Quién está ahí? Ay, espero que no responda nadie", pensaba el Osito.

Finally, the blustery day turned into a blustery night.

To Pooh, it was an uncomfortable night full of uncomfortable noises. And one of the noises was a sound he had never heard before. "Gr-r-r-rol!"

Pooh got up and went to his door to investigate. "Hello, out there! Oh, I hope nobody answers."

En ese momento un animal de aspecto extraño entró de un salto a la habitación.

"Hola, soy Tigger. T, I, doble G, E, R", dijo sonriente el recién llegado.

Pooh dejó su pistola de juguete a un lado. "Me diste un buen susto."

"¡Es natural! Todo el mundo les tiene miedo a los tiggers."

"Bueno, ¿y qué es un tigger?", preguntó Pooh.

"Me alegro de que lo preguntes, amiguito."

Y Tigger rebotó por la habitación para mostrarle a Pooh lo que era un tigger.

Cuando Tigger dejó de saltar, preguntó a su nuevo amigo: "¿Te dije que tengo hambre?"

"Espero que no quieras miel", dijo Pooh.

"¡Agg! A los tiggers no les gusta esa cosa pegajosa. Bueno, me marcharé rebotando. ¡Hasta luegoooo!"

———————————

Just then a funny-looking animal bounced into the room.

"Hi, I'm Tigger. T-I-double Guh-ER."

Pooh put down his pop-gun. "You scared me."

"Sure I did! Everyone's scared of Tiggers!"

"Well, what's a Tigger?"

"Glad you brought that up, chum!"

Then Tigger bounced around the room to show Pooh what a Tigger was.

Tigger stopped bouncing. "Did I say I was hungry?"

"Not for honey, I hope."

"Yuck! Tiggers don't like that icky, sticky stuff. Well, I better be bouncing along. T.T.F.N.! Ta-ta for now!"

El viento continuaba soplando. Pronto se oyó un trueno y comenzó a llover. Y llovió y llovió y llovió.

Por la mañana, el Bosque de los Cien Acres estaba inundado.

Pooh trató de rescatar su miel, comiéndosela toda para desayunar. Todavía estaba lamiendo el fondo del último tarro, cuando, sin darse cuenta, salió flotando sobre el agua por la puerta de su casa.

The wind continued to blow. There was a clap of thunder and it began to rain. And it rained, and it rained, and it rained.

By morning, the Hundred-Acre Wood was flooded.

Pooh tried to rescue his honey by eating it all for breakfast. He was upside down, licking the bottom of the last pot, when the water floated him right out his front door.

En la casa de Piglet, el agua entraba por las ventanas. Piglet escribió un mensaje y lo puso en una botella. El mensaje decía, "Ayuden a Piglet (soy yo)". La botella salió flotando de su casa y se perdió de vista.

Como Christopher Robin vivía en lo alto de una colina, donde no podía llegar el agua, todos los habitantes del Bosque de los Cien Acres decidieron reunirse allí. Al poco tiempo, el niño encontró la botella de Piglet y leyó el mensaje. "Búho, vuela sobre la casa de Piglet y dile que vamos a planear su rescate", exclamó.

At Piglet's house, the water was coming in through the window. He wrote a message and put it into a bottle. The message read, "Help Piglet (Me)." The bottle floated out his house and out of sight.

Christopher Robin lived high on a hill where the water couldn't reach. So that was where everyone from the Hundred-Acre Wood gathered. Before long Christopher Robin discovered Piglet's bottle and read the message. "Owl, fly over to Piglet's house and tell him we'll plan a rescue."

Cuando Búho estaba sobrevolando la zona inundada, vio dos puntos diminutos allá abajo. Uno era Piglet, parado sobre una silla, y el otro era Pooh, todavía boca abajo en su tarro de miel. Búho los llamó y les avisó que los iban a rescatar.

"¡Tienes que ser valiente, Piglet!"

"Gracias, Búho, pero es muy difícil ser valiente cuando eres un animal tan pequeño", respondió el puerquito.

Por suerte el agua arrastró a Pooh y a Piglet y los llevó flotando hasta donde los esperaba Christopher Robin.

"¡Pooh, has rescatado a Piglet! Has sido muy valiente. Eres un héroe."

"¿De verdad?", preguntó extrañado el Osito Pooh.

"Sí. Y por eso vamos a celebrar una fiesta para el héroe."

As Owl flew over the flood, he spotted two tiny objects below. One was Piglet, standing on a chair, and the other was Pooh, still upside down in his honey pot. Owl called down to them and told them about the rescue.

"Be brave, little Piglet!"

"Thank you, Owl, but it's awfully hard to be brave when you're such a small animal."

Pooh and Piglet eventually floated to the very spot where Christopher Robin was waiting.

"Pooh, you rescued Piglet! That was a very brave thing to do. You're a hero!"

"I am?"

"Yes. And so I shall give you a hero party!"

Cuando empezaba la fiesta, Igor llegó trayendo una buena noticia.

"He encontrado una casa para Búho. Si quieren seguirme, se las mostraré."

Entonces los guió a través del Bosque y, ante la sorpresa de todos, se detuvo frente a la casa de Piglet. Señalándola, dijo: "Ésta es."

Pooh trató de convencer a Piglet de que dijera que esa era su casa..

"No, Pooh. Esta casa ahora pertenece a nuestro buen amigo Búho. Yo viviré... viviré...

Just as the hero party began, Eeyore arrived with news.

"I found a house for Owl. If you wanna follow me, I'll show it to you."

Eeyore led them through the woods and, to everyone's surprise, stopped in front of Piglet's house. "This is it."

Pooh tried to convince Piglet to speak up.

"No, Pooh. This house belongs to our good friend Owl. I shall live...shall live..."

"Tú vivirás conmigo." Y Pooh puso un brazo alrededor de su amiguito.

Christopher Robin estaba especialmente orgulloso. "Qué generoso has sido, Piglet, le has ofrecido tu casa a Búho."

Y así, la fiesta para un héroe se convirtió en la fiesta para dos héroes. Pooh era un héroe porque le había salvado la vida a Piglet y Piglet era un héroe porque le había ofrecido a Búho su casa en el árbol.

"You shall live with me." Pooh put his arm around his little friend.

Christopher Robin was especially proud. "That was a very grand thing to do, Piglet—giving your house to Owl."

And so, the one-hero party became a two-hero party. Pooh was a hero for saving Piglet's life, and Piglet was a hero for giving Owl his grand home in the beech tree.

¡Hip Hip Hurra!

Winnie Pooh
y Tigger también

Winnie the Pooh
and Tigger Too

Como todos saben, Winnie Pooh vivía en un lugar encantado llamado el Bosque de los Cien Acres. Un día, mientras meditaba en su "lugar para pensar", llegó rebotando un personaje saltarín con rayas.

"Hola, Pooh. ¡Soy Tigger! T – I – doble G - E – R", dijo el recién llegado

"Ya lo sé. Te he visto saltar antes", respondió Pooh.

A Tigger le gustaba saltar, especialmente para sorprender a sus amigos. Piglet estaba barriendo las hojas cuando Tigger saltó a su lado. Todas las hojas volaron a su alrededor.

"¡Hola Piglet! Ese salto ha sido muy pequeño, sabes, estoy reservando el más alto para Conejo." Y Tigger rebotó hasta la casa de Conejo.

Conejo estaba trabajando muy contento en su huerto cuando escuchó el saludo de Tigger. "¡Hola orejotas!"

"No, no, Tigger …. ¡No saltes!", le suplicó.

Pero no pudo detener a Tigger ¡y los vegetales salieron volando en todas las direcciones!

Winnie the Pooh lived in an enchanted place called the Hundred-Acre Wood. One day, while he was thinking in his thoughtful spot, he was bounced by a springy character with stripes.

"Hello, Pooh. I'm Tigger! T-I-double Guh-ER!"

"I know. You've bounced me before."

Tigger liked to bounce, especially on unsuspecting friends. Piglet was sweeping leaves when Tigger bounced him. All the leaves went flying.

"Hello, Piglet! That was only a little bounce, you know. I'm saving my best one for Rabbit." And Tigger bounded over to Rabbit's house.

Rabbit was happily working in his vegetable garden when Tigger called out a greeting. "Hello, Long Ears!"

"No, no, Tigger! Don't bounce…!"

But Rabbit couldn't stop Tigger from bouncing. Vegetables went flying in all directions.

Desconsolado, Conejo se sentó en el suelo. "Tigger, mira cómo ha quedado mi precioso huerto."

"¡Huy! Qué desorden, ¿verdad?" dijo Tigger con cara de disgusto.

"¿Desorden? ¡Es una ruina! Oh, ¿por qué no dejas nunca de saltar?", protestó Conejo.

"¿Por qué? ¡Porque es lo que sé hacer mejor!" Y Tigger se alejó rebotando por el camino.

———————————

A very discouraged Rabbit sat down on the ground. "Tigger, just look at my beautiful garden."

"Yuck! Messy, isn't it?" Tigger frowned in disgust.

"Messy? It's ruined! Oh, why don't you ever stop bouncing?"

"Why? That's what Tiggers do best!" And off Tigger bounced down the road.

Conejo estaba tan disgustado con lo que le había sucedido a su huerto que convocó a una reunión en su casa. Pooh y Piglet acudieron enseguida.

"¡Atención, todo el mundo!

Tenemos que hacer algo para que Tigger deje de saltar. Tengo una idea espléndida: llevaremos a Tigger a explorar el Bosque y lo perderemos. Y cuando lo encontremos de nuevo, estará muy agradecido. 'Oh, ¿cómo puedo darles las gracias por salvarme?', dirá Tigger. Y entonces le pediremos que deje de saltar."

Se pusieron de acuerdo. A la mañana siguiente, Pooh, Piglet y Conejo llevaron a Tigger a dar un paseo en el Bosque, que aún estaba nebuloso. Tigger saltaba delante de ellos.

Rabbit was so upset about his garden that he called a meeting at his house, which Pooh and Piglet attended.

"Attention, everybody! Something has got to be done about Tigger's bouncing. And I have a splendid idea. We'll take Tigger for a long explore in the woods and lose him. And when we find him, he'll be a more grateful Tigger, an 'Oh, how can I ever thank you for saving me' Tigger. And it will take the bounces out of him."

It was agreed. The next morning, Pooh, Piglet, and Rabbit took Tigger for an early misty-morning walk in the woods. Tigger bounced up ahead.

Entonces, cuando Tigger no estaba mirando, Conejo, Pooh y Piglet se escondieron en un tronco hueco.

No pasó mucho tiempo hasta que Tigger se dio cuenta de que estaba solo. "¿Dónde se habrá ido ese orejotas?", se preguntaba sorprendido. "¡Holaaaa! ¿Dónde están, compañeros? Eh, quizás se han perdido."

Y Tigger fue rebotando a buscar a sus amigos.

Then, when Tigger wasn't looking, Rabbit, Pooh, and Piglet hid in a hollow log.

It wasn't long before Tigger noticed he was alone. "Now, where do you suppose old Long Ears went to? Hallooo! Where are you fellas? Gee, they must have gotten lost."

And Tigger bounced off to find his friends.

Cuando se alejó, Conejo salió sigilosamente del tronco y llamó a los demás.

"¿Ven? Mi espléndido plan está funcionando. Ahora iremos a salvar a Tigger."

Empezaron a caminar, pero siempre llegaban al mismo montón de arena. Pooh, que es un osito de poco cerebro, tuvo una idea extraña. "Quizás la arena nos está siguiendo, Conejo."

"Tonterías, Pooh. Yo conozco muy bien el Bosque." Y Conejo se fue para demostrar que podía encontrar el camino a su casa.

Un rato después de marcharse Conejo, Pooh sintió un ruido en el estómago. "Creo que me llaman mis tarros de miel. Vamos, Piglet. Mi estómago sabe cómo llegar a casa."

En ese momento, ¿quién crees que apareció? Tigger, que saltó felizmente alrededor de Pooh y Piglet. "¡Creí que se habían perdido!", exclamó entusiasmado.

When all seemed clear, Rabbit crept out of the log and called the others to join him.

"You see? My splendid plan is working! Now we'll go and save Tigger."

But as they walked on, they kept coming back to the same sandpit. Pooh, who is a bear of very little brain, had a thought. "Maybe the sandpit is following us, Rabbit."

"Nonsense, Pooh. I know my way through the forest." And Rabbit left to prove he could find his way home.

After Rabbit had been gone awhile, Pooh felt a rumbling in his tummy. "I think my honey pots are calling to me. Come on, Piglet. My tummy knows the way home."

Just then, who should appear but Tigger. He happily bounced Pooh and Piglet. "I thought you fellas were lost!"

Ya los tres se habían encontrado, pero faltaba Conejo. Finalmente él, que había trazado el plan, ¡era quien se había perdido en el Bosque! Solo entre los frondosos árboles, asustado de cada ruido, Conejo tenía cada vez más miedo. La espesa neblina estaba llena de formas y sonidos misteriosos.

De repente escuchó "Holaaaaa". En un momento, algo anaranjado y amistoso, que rebotaba a su alrededor, lo sorprendió:

¡Tigger! ¡Pero si eras tú quien debía estar perdido!"

"No, los tiggers nunca se pierden, chico. Ven, vamos a casa."

Conejo se agarró de la cola de Tigger y Tigger rebotó con él hasta que llegaron a la casa. Esta vez, a Conejo no parecieron molestarle nada los saltos de Tigger.

———

It turned out that the only one who was lost was Rabbit! All alone in the dense woods, he jumped at every noise.

Rabbit grew more and more frightened. The thick mist was filled with strange shapes and sounds.

Suddenly, he heard "Hallooo!" Before he knew it, Rabbit was found, and bounced, by an old familiar friend.

"Tigger! But you're supposed to be lost!"

"Oh, Tiggers never get lost, Bunny Boy. Come on, let's go home."

Rabbit took hold of Tigger's tail, and Tigger bounced him all the way home. This time, Rabbit didn't seem to mind a bit.

Al poco tiempo llegó el invierno y transformó el Bosque de los Cien Acres en una zona de juegos cubierta de nieve blanca y esponjosa. Rito tenía tantas ganas de jugar con Tigger que su mamá, Cangu, apenas tuvo

tiempo de ponerle una bufanda alrededor del cuello. "Tráelo a casa para su siesta, Tigger."

"No se preocupe, Sra. Cangu. Yo cuidaré muy bien al pequeño."

Y los dos se fueron saltando, porque eso es lo que los tiggers y los ritos saben hacer mejor.

Before long, winter came and transformed the Hundred-Acre Wood into a playground of white, fluffy snow. Roo was so anxious to play with Tigger that his mother, Kanga, barely had time to tie a scarf around his neck. "Have him home by nap time, Tigger."

"Don't worry, Mrs. Kanga. I'll take care of the little nipper."

Then off they bounced, because that's what Tiggers and Roos do best!

Pronto llegaron a un estanque helado donde Conejo estaba patinando ágilmente sobre el hielo. Rito lo observó asombrado.

"¿Los tiggers saben patinar sobre hielo tan bien como Conejo?"

"Claro que sí, Rito. ¡Eso es lo que los tiggers hacen mejor!"

¡Pero cuando Tigger corrió sobre el hielo, resbaló y se deslizó contra Conejo, provocando que todos fueran resbalando hasta la puerta de Conejo!

Tigger gimió, "A los tiggers no les gusta patinar sobre hielo".

———————————

Soon, they came upon a frozen pond where Rabbit was skating gracefully on the ice. Roo watched in amazement.

"Can Tiggers skate as fancy as Mr. Rabbit?"

"Sure, Roo. Why, that's what Tiggers do best!"

But when Tigger ran onto the ice, he slipped and skidded right into Rabbit, and they all went crashing right through Rabbit's front door!

Tigger groaned. "Tiggers don't like ice-skating!"

Tigger y Rito intentaron buscar otra cosa que los tiggers hicieran muy bien. Rito tuvo una idea. "¡Apuesto a que sabes trepar a los árboles, Tigger!"

"Los tiggers no trepan a los árboles. ¡Saltan por encima!", le respondió.

De manera que Tigger y Rito saltaron hasta la copa de un árbol muy alto. De repente, Tigger se dio cuenta de que estaba muy lejos del suelo. "¡Ay! A los tiggers no les gusta saltar por encima de los árboles."

Sin embargo, Rito la estaba pasando muy bien. Se balanceaba de un lado a otro, sujetándose de la cola de Tigger. ¡Allá voy!"

"Quieto, muchacho. A-L-T-O. ¡Estás sacudiendo el Bosque!", decía inquieto Tigger.

Mientras ellos estaban en el árbol, Pooh y Piglet andaban abajo, siguiendo unas huellas en la nieve. Piglet le preguntó a Pooh si sabía de quién eran las huellas.

"No lo sabré hasta que llegue junto al que las dejó", respondió el osito.

Justo entonces, Pooh y Piglet oyeron un sonido distante. "¡Holaaaa!"

Pooh miró a su amigo. "Espero que no sea un feroz jagular. Porque saludan y luego te atacan."

Tigger and Roo looked for something else that Tiggers do best. Roo had an idea. "I'll bet you could climb trees, Tigger!"

"Tiggers don't climb trees. They bounce 'em!"

So Tigger and Roo bounced all the way to the top of a tall tree. Suddenly, Tigger realized just how far down the ground actually was. "Whoaa! Tiggers don't like to bounce trees!" Roo, however, thought this was great fun. He swung back and forth, holding on to Tigger's tail. "Wheee-ee!"

"Stop, kid! S-T-O-P! You're rocking the forest!"

While Tigger was up in the tree, Pooh and Piglet were down below, tracking footprints in the snow. Piglet asked Pooh what they were tracking.

"I won't know until I catch up with it."

Just then, Pooh and Piglet heard a sound in the distance. "Hallooo!"

Pooh turned to his friend. "I hope it isn't a fierce jagular. Because they 'Hallooo' and then drop on you."

Pero no era un jagular. Sólo se trataba de Tigger y Rito que gritaban desde lo alto del árbol.

Pooh miró hacia arriba. "¿Cómo llegaron los dos tan arriba?"

"¡Saltando!"

"Entonces, ¿por qué no saltan abajo?" Pooh era muy listo, para ser un osito de poco cerebro. Así que Rito le hizo caso y saltó hacia abajo.

Pero Tigger estaba todavía demasiado asustado para saltar tan lejos.

"¡Necesito ayuda!", gritó.

Poco tiempo después, Christopher Robin se enteró de que Tigger estaba en peligro.

Todos llegaron rápidamente a ayudarle, pero nadie sabía qué hacer para bajarlo del árbol.

Finalmente yo mismo traté de ayudar. "¿Ves, Tigger? Con tanto saltar, finalmente te has metido en un lío."

"¿Quién eres tú?", preguntó sorprendido Tigger.

"Soy el narrador."

"Ah. Bueno, pues termina el cuento bajándome de aquí. Si lo consigues, te prometo que nunca más voy a saltar."

Así que coloqué el libro sobre un costado y Tigger se deslizó sobre las letras hasta aterrizar sano y salvo en el suelo. Tigger estaba muy aliviado pisando tierra firme otra vez.

"¡Qué contento estoy, tengo ganas de saltar!", exclamó.

Conejo cruzó los brazos. "No, Tigger. Lo prometiste."

"¿No puedo saltar, ni siguiera un pequeño rebotecito?"

Cuando Conejo sacudió la cabeza negándose, Tigger dio la vuelta y se marchó abatido.

Rito jaló el brazo de Cangu. "Mamá, me gustaba más Tigger cuando rebotaba."

Y todos estaban de acuerdo. Así que le permitieron a Tigger saltar otra vez. Él –claro está- saltó de alegría. "Sí, estoy de acuerdo. Un tigger que no salta, no es un tigger de verdad."

But it wasn't a jagular at all. It was only Tigger and Roo up in the tree.

Pooh looked up. "How did you and Tigger get way up there?"

"We bounced up!"

"Well, then, why don't you bounce down?" Pooh was very smart for a bear of very little brain.

And so, Roo bounced down.

But Tigger was still too frightened to jump that far.

"Somebody, help!"

It wasn't long before word got to Christopher Robin that Tigger was in trouble.

Everyone quickly came to his rescue, but no one knew what to do. So I stepped in to help. "You see, Tigger? All your bouncing has finally gotten you in trouble."

"Who are you?"

"I'm the narrator."

"Oh. Well, narrate me down from here. If you do, I promise I'll never bounce again!"

So I turned the book sideways, and Tigger slid right down the block of type to land safely on the ground.

Tigger was most relieved to be on solid ground again.

"I'm so happy, I feel like bouncing!"

Rabbit crossed his arms. "No, Tigger. You promised!"

"You mean, not even one teensy-weensy bounce?"

When Rabbit shook his head, Tigger turned and walked away.

Roo tugged at Kanga's arm. "Mama, I like the old, bouncy Tigger best."

And everyone agreed. So they gave Tigger his bounce back, and he leaped for joy. Even Rabbit had to admit it. "Yes, I quite agree. A Tigger without his bounce is no Tigger at all."